Rachel Bright • Jim Field

# TRAU DICH, KOALABÄR

Natürlich **magellan** ©

FSC
www.fsc.org
MIX
Paper from
responsible sources
FSC® C002795

Wir pflanzen Bäume
Für unsere Umwelt
www.magellanverlag.de

**Hergestellt in Lettland
Gedruckt auf FSC®-Papier
Farben auf Pflanzenölbasis
Lösungsmittelfreier Klebstoff
Drucklack auf Wasserbasis**

6. Auflage 2019
© 2017 Magellan GmbH & Co. KG,
Laubanger 8, 96052 Bamberg
Die englische Originalausgabe erschien 2016
in Großbritannien unter dem Titel
„The Koala who could" bei The Watts Publishing Group

Text © 2016 Rachel Bright
Illustrationen © 2016 Jim Field

ORCHARD BOOKS
An Imprint of Hachette Children's Group
Part of The Watts Publishing Group Limited
Carmelite House
50 Victoria Embankment
London EC4Y 0DZ
An Hachette UK Company
www.hachette.co.uk
www.hachettechildrens.co.uk

Übersetzung: Pia Jüngert
Umschlaggestaltung: Christian Keller
unter Verwendung einer Illustration von Jim Field
Druck: Livonia Print, Lettland
ISBN 978-3-7348-2028-1

www.magellanverlag.de

Für meinen
wunderbaren, brillanten,
abenteuerlustigen Papa …
den besten
KEVIN-ICH-KANN,
den ich kenne. Kuss
R.B.

Für Remi und Jack.
J.F.

# Rachel Bright • Jim Field

# TRAU DICH

# KOALA BÄR

## Aus dem Englischen von Pia Jüngert

magellan

An einem herrlichen Ort,

der Tag brach schon an,

der Wind wehte sanft,

die Sonne schien warm,

da spielten die Tiere
so frei wie im Traum,
nur Kimi Koala hing
klammernd am Baum.

Vom Kopf bis zum Fuß
war sein Fell
FLAUSCHIG WEICH.
So einen wie ihn, ja,
den mag man doch gleich!

Am liebsten saß Kimi
im Baum in der Sonne,
schlief oder kaute
ein Blatt voller Wonne.

Sich nicht zu bewegen
gelang ihm famos.

Ja, Kimi war
KÖNIG BEWEGUNGSLOS!

Da oben im Baum war ihm alles vertraut,
unten dagegen war es zu laut!

Zu LAUT und

ZU SCHNELL und

ZU FREMD und

ZU WEIT ...

Nö! Kimi blieb lieber in Sicherheit.

So saß er im Baum,
denn den kannte er gut.
Etwas Neues zu wagen,
da fehlte der Mut.

Ein Wombat
lud Kimi Koala mal ein:
„HEY KIMI, komm runter,
wär spielen nicht fein?"

Kimis
Blättersammlung

„Ehm schade!", rief Kimi,
„du musst mir verzeih'n!
Ich bin sehr beschäftigt,
ich kann jetzt nicht. Nein!"

Die Kängurus konnten
das gar nicht verstehen.
Die Dingos riefen:

„WAS

SOLL

SCHON

GESCHEHEN?!"

Doch Kimi hing reglos
im dichten Geäst.
Er sagte: „Es geht nicht,
ich halte mich fest!"

Doch als er sie sah,
diese fröhliche Schar,
wünschte er schon,
er wäre auch da!

Nur nachts wär er sicher
vom Heimweh geplagt ...
Ein Abenteuer, nein, das war zu gewagt!

So blieb es beim NEIN,
denn die Angst war zu groß,
oje, ließ der Kimi
denn niemals mehr ...

... los?

Kimi blieb Kimi,
nichts änderte sich.

Woche um Woche

wie immer verstrich.

Das Leben ging weiter,
er merkte es kaum.

Da riss ihn
ENTSETZLICHER
Lärm aus dem Traum!

Tock –tock

So klang es.

Tocki – ti – tock!

Tack tack tack

und KLOCK!

TOCK

TOCK

TACK

KLOCK

KLOCK

Na ... der haut ja rein!

Tock – tock und Tocki – ti – tock!

OH NEIN!

„LASS LOS!",
schrien die Freunde.
„Komm, lass
dich doch fallen!"

„Kimi, lass los!
Und wir werden
dich fangen!"

„Loslassen?!", rief Kimi.
„Ich fürchte MICH!

Oje, unmöglich,
DAS KANN
ICH ...

RUMMMMMSSS!

Es knirschte und ächzte,
dann fiel der Baum um
mit Kimi Koala
und lautem KRAWUMM!

Scheu linste Kimi durch Zweige und Blätter,
entdeckte sogleich seine Freunde, die Retter.
Pfote für Pfote ließ er langsam los –
und fühlte sich GLÜCKLICH,
FREI und
SOO GROSS!

So lang hatte Kimi
sich davor geängstigt.
Doch alles war GUT,
ja, er fühlte sich prächtig!
Der Wombat hielt freundlich
die Pfote entgegen.
Und Kimi? Er nahm sie,
war nicht mehr verlegen!

Der Dingo lud Kimi zum Spielen gleich ein.

Die anderen riefen: „Du sagst doch nicht nein?"

Und ohne zu zögern sah Kimi sie an

und antwortete strahlend: „Ich glaube ...

ICH KANN!"

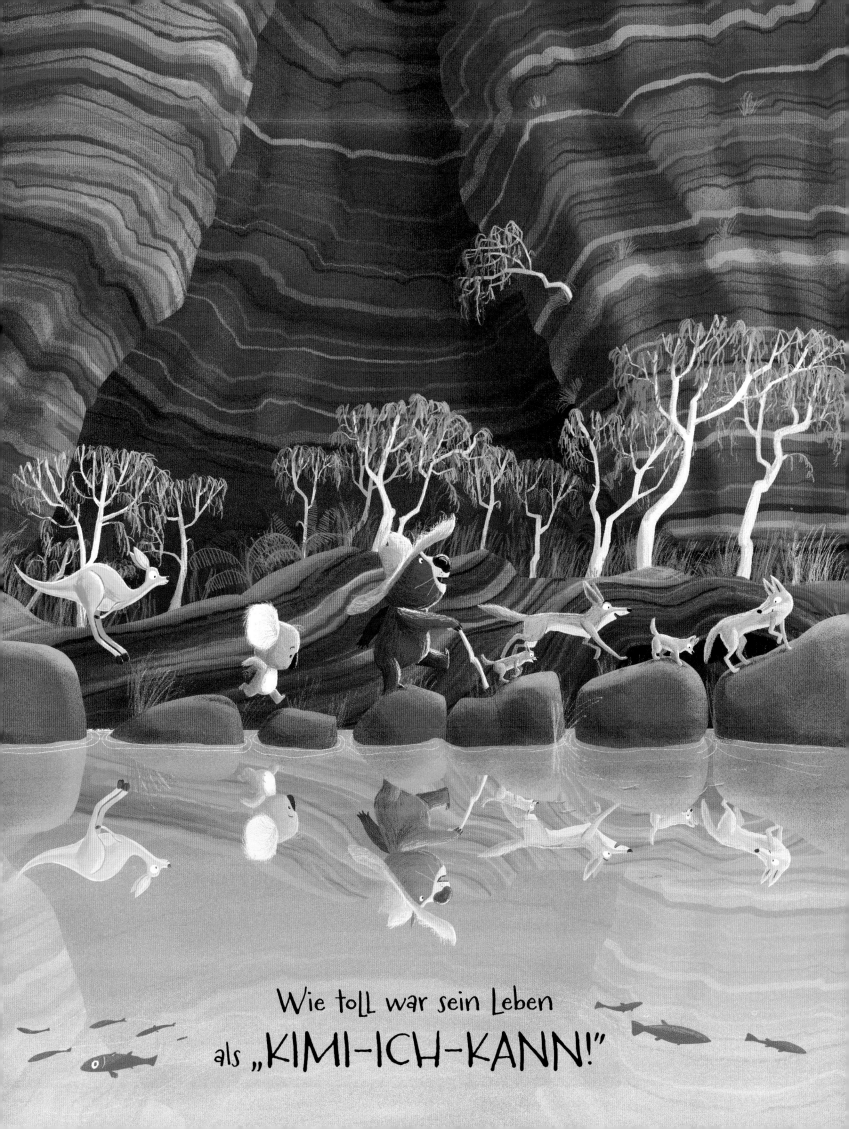

Wie toll war sein Leben
als „KIMI-ICH-KANN!"

Versuch auch was NEUES,
es fühlt sich GUT an!